olivia wartha

die wirklichkeit ist anderswo

gedichte

Bibliografische Informationen der Deutschen
Nationalbibliothek: Die Deutsche Nationalbibliothek
verzeichnet diese Publikation in der Deutschen
Nationalbibliografie; detaillierte bibliografische Daten
sind im Internet unter http://dnb.dnb.de abrufbar.

Umschlaggestaltung: Der Atomat

Herstellung und Verlag:
BoD – Books on Demand, Norderstedt

ISBN: 978-3-7392-3463-2

teil 1: die wirklichkeit ...

wirk|lich|keit, die
wortart: substantiv, feminin

bedeutung: sachverhalt
synonyme: fakt, gegebenheit, sachlage, tatsache,
tatsächlichkeit, umstand, wahrheit

bedeutung: gewissheit
synonyme: bestimmtheit, gewähr, klarheit, prägnanz,
sicherheit, stichhaltigkeit, überzeugung,
unangreifbarkeit

bedeutung: existenz
synonyme: bestehen, dasein, gegenwart, realität, sein,
vorhandensein

vor dem schlafengehen

vor dem schlafengehen
in den nachthimmel blicken
und einfach nur
dem universum zusehen.

hat man heute
wieder einmal vergessen.

man wundert sich
über seine nachlässigkeit.

überlegt
wie flüchtig man doch lebt.

und dabei
schläft man ein.

wir

wir könnten uns einfach
auf den boden setzen
und dort bleiben
als gäbe es nichts
anderes auf der welt
außer diesem einen ort
und der geschmeidigkeit
des grases
unter unseren händen
die lebenslinien
und tintenflecken tragen
wir würden beides
ignorieren weil wir
diese dinge nicht
ändern können
wir würden einfach weiter
das gras streicheln
als wäre es alles
nach dem wir uns
sehnen

viel zu oft

viel zu oft
vergisst man.
das sein.
wie man träume
vergisst.
am morgen.

und in mir

und in mir
all die ichs
die noch
sein werden
wie all das grün
das noch
in den
winterästen
schlummert
-
den frühling
herbeisehnend

mein blick

mein blick klettert
mit dem licht
die gegenüber-
liegende wand
empor
dann zähle ich
bis drei

und
stürze mich
hinab

in
deine
augen

man sollte

man sollte mäandern.
durch das leben.
immer
die größten bögen
und
den längsten weg
nehmen.

das leben
in all seine himmelsrichtungen
leben.

über

über unseren köpfen
kreischt eine möwe

meine überflüssigen
bedenken über das meer

wir tauschen blicke
wie andere worte

in deinen augen
tanzt der himmel

sein blau probe

doch du ahnst
nichts davon

alles

alles ist, wie du es gewohnt bist
alles ist, wie du es gewohnt bist
alles ist, wie du es gewohnt bist

  etwas streift dein herz

wie du es gewohnt bist,
reicht nicht mehr aus

  und beißt sich darin fest

alles ändert sich
und wird zur gewohnheit

alles ist, wie du es gewohnt bist
alles ist, wie du es gewohnt bist
alles ist, wie du es gewohnt bist
alles ist, wie du es gewohnt bist

bleibenoderweiterziehen

bleibenoderweiterziehen?
nur diese eine frage
immerundimmerwieder
das ist das leben

ein gedanke streift dich

ein gedanke streift dich
und du ahnst er bleibt
länger

wenn man nur mehrere leben hätte
mindestens so viele wie man augen hat
oder hände

aber es bleibt dabei
das leben legt nicht immer wert
auf symmetrie

nur ein herz
nur eine seele

und diese ungerade
riesige menge
an möglichkeiten

als ob

als ob es nur dich gäbe
und absolut nichts anderes
auf der ganzen weiten welt
an das man denken kann

im kaffeesatz

im kaffesatz
schwimmt die zukunft

es geht nicht darum
glücklich zu sein

gestern ist nicht heute
und heute nicht morgen

zufriedenheit ist anstrebsam

ich mag worte
und wie sich die sonne
in baumkronen versteckt

der kaffeering auf dem tisch
sieht aus wie eine welle
oder ein bärtiger mann

ich werde dir heute
nicht mehr schreiben

ich will meine worte behalten
und einige aussuchen
hinter denen man sich verstecken kann

nicht dass dies jetzt nötig wäre
aber vielleicht irgendwann

18

was wird sein

was wird sein
wenn wir
tatsächlich hier bleiben

wenn wir
tage und jahre
in unseren manteltaschen anhäufen

wenn wir
unsere köpfe noch immer
unter denselben baum legen

und uns seine blätter vom jeweils
aktuellen sommer vorschwärmen

werden
wir dann zufrieden
oder nur
sein

der mond

der mond
leuchtet zu hell
wer kann so schon träumen
wenn sogar der eigene schatten
an der wand
einen daran erinnert
dass man doch hier ist
und nicht anderswo

aber

aber es bringt nichts
sich (keine) sorgen zu machen

alles bleibt, was es war

und nichts
und niemand weiß
was sein wird

aus dem schilf

aus dem schilf steigen einige
wasservögel auf und fliegen
in den himmel

sie werden zu einem v
und verschwinden

ich gehe weiter
und bleibe ein punkt
ganz ohne windschatten

mit all

mit all den innigkeiten
die es mit sich bringt
man selbst zu sein
werde ich dein sein
wenn du mich lässt
wenn du mich
trotzdem weiter
mich sein lässt
mit all den innigkeiten
die es mit sich bringt
man selbst zu sein

viel zu selten

viel zu selten
lässt man sich
einfach treiben
nur darauf vertrauend
dass man schon
dort ankommen wird
wo man ankommen soll

gedanken zu frühlingsbeginn

gedanken zu frühlingsbeginn:
das licht wärmt
alles
wir dehnen uns
aus
und vergessen vorübergehend
sogar
wie kurz das leben
ist
und wie wenig wir
dennoch
über es wissen

was

was wird sein wenn die zeit
beschließt weiterzuziehen?
werden wir dagegen ankämpfen
zu verschwinden und durch
einander weiter bestehen?
werden wir uns an das glück
erinnern und dort bleiben?

denn eigentlich mag man

denn eigentlich mag man
die kleinen dinge:

dass alles noch so aussieht
wie als man eingeschlafen ist

der geruch des bettbezugs
und die wärme darunter

wie der linke fuß den rechten berührt,
die beine einander

den ersten luftzug am morgen
der durch das geöffnete fenster strömt

der blick hinaus
die zwei vögel im baum

wir drei
in der morgendämmerung

allesamt ohne jede ahnung
was der tag bringen wird

deine wange

deine wange wirft
das sonnenlicht zurück

ich fange es ein
mit meinen blick

du lachst auf
über etwas dass ich sagte

aber keiner von uns
erinnert sich was es war

es gibt wichtigeres
wie die warme sommerluft

oder meine hand
in deiner

da

da ist diese entfernung
tief in einem selbst
die man nicht
zurücklegen kann
mit nur einem leben
für die man noch ein zweites braucht
eins, das einem handinhand
entgegenwandert

ohne ungeduld

ohne ungeduld
nebeneinander sitzen

das schweigen
in seiner gesprächigsten form
genießen

den offenen
und verschränkten armen
des lebens lauschen

die eigenen hände
in fremde legen

nebensächliches und wichtiges

nebensächliches und wichtiges
ins gleichgewicht bringen
dabei: selbst gerade stehen

gleichzeitigkeit wahrnehmen
sehen, denken und handeln
zudem: hoffen und sich hinsetzen

gleichzeitigkeit akzeptieren
sein persönliches gleichgewicht finden
anker werfen und segel setzen
zufrieden sein und sehnsüchte haben

und:
wieder aufstehen
weil es nötig wird
gegen etwas sein
oder viel schwerer
für etwas

ich bin für die gleichzeitigkeit
und die auflösung von grenzen

nebensächliches ist
(definitionssache und)
nie weniger wichtig

draußen

draußen riecht es nach regen
deshalb sitzt man drinnen
die phasen des schweigens
werden länger als unsere schatten
jetzt wären, hätten wir doch noch
etwas mut aufgebracht und uns
in die abendsonne getraut

gestern ist fern und doch
immer noch näher als das jetzt
statt aneinander wärmt man sich
an erinnerungen und wenn das nicht
mehr ausreicht
legt man einfach beide hände
um eine frisch dampfende kaffeetasse

juni

juni wird vorbei sein
und juli wird kommen

und in uns werden
noch all die worte sein
die wir uns nicht zu sagen
getraut haben

und unsere hände werden leer sein
und über kastanien streichen
und in ihrer glätte jedes nicht
gesprochene wort wieder finden

und unsere hände werden leer sein
und wir werden sie
in den schnee ablegen
und einfach dort liegen lassen

damit wir endlich vergessen
was wir im sommer nicht taten

variiere mich

variiere mich
durch den tag

doch dann
betrachte ich dich

mit allergrößter
ernsthaftigkeit

und nichts kann
etwas schöner machen

neben mir

neben mir
ein sonnenstrahl
auf dem bettlaken

doch
wieder nicht du

ich mag es

ich mag es, wenn es still ist
dann lege ich all das
unausgesprochene dazu
damit es sich wohl fühlt
damit ich es los bin

im morgennebel

im morgennebel
sanften wind auf den lippen
flüstere ich dir einige worte
ins sonnensystem
kein tintenfleck bleibt mehr
hier bei mir zurück
nichts soll mich erinnern
ans warten

und dann

und dann
findet man sich
wieder,
im mondschein sitzend

und einem fällt auf
dass niemand etwas fragte
und man trotzdem
still vor sich hin antwortet

dass all diese nicht
ausgesprochenen fragen
viel zu tief ins
eigene innere zielen

dass man sich selbst
mehr leichtigkeit wünscht
und von anderen doch
bodenhaftung erwartet

dass man sich
so vieles vorstellen kann
und doch so wenig
davon macht

dass man ein rudel
wölfe im herzen trägt
welchen man
zu oft ganz andächtig lauscht

du drehst dich

du drehst dich
noch einmal um.
eine schneeflocke
legt sich auf deinen nacken.

ich rolle mich ein
und leg mich daneben.

ich schmelze
zuerst.

dennoch

dennoch
lebe ich. im ungewissen.
nie bin ich.

zufrieden.

aber dennoch.

auszüge eine selbstauskunft

meine neugierde endet meist in
ungeduld.
doch ich selbst entwickle mich nur sehr
langsam.
in der retrospektive glaube ich an den
zufall. doch ich suche ihn nie.
ich bin selbst nur gerne dort, wo nichts
(von mir) erwartet wird.
dort bin ich am liebsten, nur dort bin ich
am besten.

ein paar ziele: einige sekunden nicht
denken und dabei jegliche unruhe
besiegen.
an einer schulter angelehnt ein zelt in
einem fremden lächeln aufschlagen.
zwischen den offenen reißverschlüssen
das meer sehen.
ihm zusehen bis bis der magen laut
knurrt.
nach getaner anstrengung unter freiem
himmel essen.
durch unbekannte gassen schlendern
und in die hauseingänge schielen.

fremde schönheit erkennen.
sie mitnehmen und in den wind hinaus
rufen.
herausfinden wohin der wind so
dringend möchte. und ob er je
ankommt.
die zeit verstehen und mit ihr über
unsere endlosen gespräche lächeln.
etwas unbestimmtes fühlen das langsam
immer deutlicher wird.
etwas suchen und dabei etwas anderes
finden.
einen scharrenden gedanken für immer
aus dem kopf entlassen.
und einen anklopfenden mit offenen
armen aufnehmen.

und lächeln.
über das vergessen.
das hoffen, das wissen, das zweifeln, das
fühlen, das denken, das sein.
vertrauen haben.
nach draußen sehen und den frühling
herbeiwissen.
irgendwann einen schlupfwinkel und
eine decke teilen.
eine hand spüren.
und mich flüsternd bedanken.

teil 2: ... ist anderswo

an|ders|wo
wortart: adverb

1. bedeutung: woanders
synonyme: außerhalb, auswärts, fort,
sonst wo, weg

2. bedeutung: draußen
synonyme: abseits, außen, jenseits, nicht am Ort,
nicht innerhalb

3. bedeutung: weg
synonyme: auf reisen, fort, nicht anwesend, nicht
zuhause, woanders

ich war

ich war
im wasser
und schwamm

dann begann der ozean
darunter ein blauwal
darüber sirenengesang

wirst du
willst du mir glauben?
dass ich so zu dir fand?

ich vermute

ich vermute
es gibt mich
auch dann noch
wenn ich schlafe

falls dem so ist
und falls nicht

bin ich
bei dir

einestages

einestages
wirst du mich geküsst haben

doch
futur II
ist die traurigste zeit

man hat dabei
sogar schon mit der zukunft
abgeschlossen

dabei wird es doch
so schön sein
wenn du mich küssen wirst

aber das
das ist ja auch
futur I

haiku

gedanken an dich
glühen am nachthimmel nach
werden sternenstaub

wirst du

wirst du mich finden
in diesen sommernächten
wenn man sich ausatmet
und verschwindet
aus der zeit fällt
zurück ins blau
des meers oder
des himmels

wirst du auch
dort sein
mit mir luft holen

in diesem, einen moment?

es gibt

es gibt nichts zu sagen.
ich segle weiter gegen den wind.

niemand weiß.
dass ich hier bin.

nur die zärtlichkeit.
holt mich manchmal ein.

der ozean verrät mich gern.
nie kann er leise sein oder abwarten.

bald wird wieder alles anders sein.
bald wird bald sein.

bald schlägt mir gegen den bug.
vom ozean lernen:

niemand kann nur immerzu lesen.
schreiben und schweigsam sein.

wie hisst man ein segel?

unser schweigen

unser schweigen
wächst zu einem nachtwald heran
still legt er baumschatten
auf unsere geschlossenen
mondlichtmünder
er weiß genau
wann keine
wortnotwendigkeit
besteht

rastlos

rastlos greifen wir
durch die luft
und erwischen dabei
ein paar worte:

schreiben
weil man nicht fliegen kann

schreiben
und dabei den wind in den flügeln
spüren

dass

dass es genügen könnte
einfach nur
man selbst zu sein
dass alles andere
gedanken-, zeit- und
kraftverschwendung wäre
das könnte doch sein
das wäre doch möglich

und schön wäre es auch

manchmal noch

manchmal noch
nenne ich jede wolke nach dir

immer ziehst du fort, richtung osten
den kopf im nacken gehe ich langsam

und hoffe
auf dich

als regen
auf meiner

haut

umgeben

umgeben von meer
schwimmt eine
handvoll tröstungen
in jeder welle

hole ehrliches

hole ehrliches aus meiner tiefe
wie ein fischer sein netz
nicht vieles bleibt hängen
zu vieles bleibt hängen

ich händige dir
nicht vieles
zu vieles aus

erinnere mich daran das nächste mal
nachts fischen zu gehen
nichts malt die wahrheit schöner
als mondlicht

ein gedanke

ein gedanke
wie ein van-gogh-pinselstrich
knapp aber kräftig
mehr ein gefühl
eine erinnerung
an etwas
dass man vergessen hat
oder nie wusste

ich wäre gern

ich wäre gern ein morgen
in dem du erwachst

der dich fest in den arm nimmt
und dich so langsam macht

dass du nur da sitzen
und aus dem fenster schauen kannst

und mitansiehst
wie all die wolken fortziehen

und das blau
schlaftrunken aufwacht.

haiku

wir gehen weiter
und das vergangene blüht
bunt hinter uns her

zwischen

zwischen meine zeilen
passt so vieles
auch das meer
in dem ich gerade versinke

sehnsucht ist wellenförmig
und gerade herrscht sturmflut

am himmel

am himmel wolken
und ein paar heimliche stunden
wir versinken
bis der regen uns aufweckt
mir tropft er in die gedanken
und dir auf die haut
wir werden beide nicht
nachts wach bleiben
um uns briefe zu schreiben
aber an uns denken
an den unwahrscheinlichsten orten

ich halte ausschau

ich halte ausschau
dich in gedanken
und mich gegen das licht

was bin ich
dir, mir,
ganz tief in meinem inneren

ich warte auf antwort
den sommerwind
und eine berührung

ich kann nicht schlafen
lausche dem atem der nacht
und dem klang der erinnerung

leise stehe ich auf
balanciere auf der zuversicht
irgendwo wartet das leben

auf

auf unseren gesprächen
wachsen eisblumen

was wolltest du mir
tatsächlich sagen?

etwas schmilzt.

ein wort
hat seine
halbwertszeit erreicht.

blautöne

abertausend gedanken später
messe ich den einen an dich
sorgsam mit einem
cyanometer
wieviel dampf?
wieviel himmel?

bewerte ihn als:
blau genug

in etwa pantone 292 c
vielleicht nicht rio
aber kornblume

centaurea cyanus

symbol für
- metaphysisches streben nach liebe
- sehnsucht und wanderschaft

gut, das lass ich gelten

was

was soll werden
wenn man jetzt schon
nicht hier ist?
wenn man im gestern umher liegt
und sich im morgen verläuft
obwohl beides so fern ist.
wo soll man selbst enden
wenn man nie hier ist
und immer nur
vor/hinter sich her
treibt, fliegt oder fällt?

sich selbst

sich selbst hinterherhinken
und nicht wissen
ob sekunden
tage oder
jahre

zwischen einem liegen

haiku

wir liegen im kreis
wir fangen überall an
doch enden nicht mehr

im mondlicht

im mondlicht singt schnee vom himmel
ganze lieder legen sich auf die bäume
polaris im suchenden blick
wische ich eine kurze melodie
aus meinem gesicht
doch sie erinnert mich nicht
ich denke sowieso schon
an dich

meine denkkammer

meine denkkammer hat
drei blaue wände

einen leeren strand
etwas seegras

worte rauschen in meinen ohren
und eine welle berührt meinen fuß

ich denke an gestern
und skizziere ein morgen

das meer holt sich die wahrheit
und bringt mir ersatz

etwas

etwas oder jemand
blies durch meine gedanken
mir einen orkan in den bauch

;

nun stürme ich
am fenster stehend

und
schaue hinaus

in mitten

in mitten der verschwiegenheit der
berge
setzt du mir ein
schiff aus gedanken auf die brust
ich blase in seine segel
und fliege davon

wenn

wenn ich dort wäre
wo ich gerade nicht bin
woauchimmer
dann würde ich dort sein
ebenso das meer oder die berge
eine blaue wand oder blumentapete
vielleicht würde ich mit dir sein
den ich hier gar nicht kenne
oder alleine
oder mit hund
es könnte schön sein
woauchimmer
wenn ich dort wäre
wo ich gerade nicht bin

zwei drittel

zwei drittel von mir sind wasser

zwei drittel von mir
waren wolke
in bewegung
verformbar und frei

zwei drittel von mir
wollen meer sein
wild, ungekünstelt
unwiderstehlich und frei

doch müssen mensch sein.

das leben

das leben
ist vielleicht kein traum
aber wach ist man auch nicht

verliere mich

verliere mich
in den ersten
märzsonnenstrahlen
irgendwo in mir
muss wohl noch
ein rest januar
gewesen sein, denn
ich weine nicht
ich taue

etwas

etwas bleibt immer zurück
ob es uns gefällt oder nicht

alles hat konsequenzen
alles ist eine konsequenz

auch man selbst
besonders man selbst

man hat mir gesagt
wir sind alle durchreisende

die die luft spüren wollen
ohne das gewicht des gesamten himmels
zu tragen

und dann

und dann schließt sich
wieder ein kreis
doch wir stehen kopf
und rollen weiter

und

und dieses etwas
das meine gedanken
ins gestern trägt
ins morgen trägt
will doch immer
nur zu dir

ein junimorgen

ein junimorgen
und licht tropft ins zimmer

ein stück traum zerfällt mir
zwischen den fingern

„*aber uns*
uns würde die zeit nicht forttragen
und nicht nur der mond bliebe immer
derselbe"

noch

noch frage an antwort
verbringen wir die zeit
bis wir das nichtsseinmüssen
einführen dürfen
allein dem lied lauschend
das unser schweigen uns singt

diese nacht

diese nacht berührt tief.
heute vermisse ich dich.
weil ich mir selbst fern bin.

es gibt immer zeiten
in denen das leben nur ruht.

doch jetzt bitte spiel mir ein lied.
und ich tanze dazu.

das meer

das meer
fragt nach dir
mit jeder einzelnen welle

doch
ich tue als würde ich
seine sprache nicht sprechen

als
wäre da nur rauschen
und etwas salz in der luft

wovon mir auch die augen brennen

mitternacht

mitternacht ist längst vorüber
doch ein kuss stoppt die zeit
schaue auf meine füße
sie schweben

lass uns

lass uns
lücken finden
in der zeit

gemeinsam
luft holen
und eintauchen

in jede
kommende
sekunde

du hebst uns
antworten für
spätere fragen

und ich das
blauwarme gefühl
aller gestrigen tage

sei dir sicher

sei dir sicher
meine gedanken
werden dich tragen

wann immer
du fliegen willst

haiku

still schneit es in mir
die fußspuren im neuschnee
sind alle von dir

allein

allein ein leichter geruch
wilder minze
liegt über der stille

der heutige morgen
wird langsam
zur nacht

meine gedanken
zu einem fluss und
ich selbst zum floß

meine augen fixieren die sterne
und meine hände baumeln
ins wasser

ein tauwetter

ein tauwetter das nicht
in erfüllung gehen will

aber manchmal

will eben niemand schuld sein
an der liebe

doch ein stein fällt in mir
wellen breiten sich aus

treiben
treiben

zu dir

das letzte jahr

das letzte jahr ist schnell erzählt.

und
die sich im wind wiegenden äste
formen gerade deine silhouette.

aber ich will mich jetzt nicht
an dich erinnern.

und tue es trotzdem.

denken auch menschen an mich
die ich schon vergessen habe?

wir sind nie nur an einem ort.

mein herz schlägt weiter.
wie immer etwas zu schnell.

und es leuchtet.

feuerfeuerrot.

du

du wirst ein vogel sein.

in meinem herzen.
frei wirst du umherfliegen.
und laut wirst du singen.

und doch immer
bei mir sein

aber
was werde ich dir sein,
wie willst du mich

(fest-)halten?

meine gedanken

meine gedanken sind nicht nur worte.
und am abend legen sie sich zu mir.
(besonders oft im september)
manchmal denke ich dann:
wir sind beide noch hier.
beide noch hier.
noch hier.
hier.

es ist

es ist zu früh, um aufzustehen und zu spät, um wieder einzuschlafen. genau die richtige zeit, um aus sich selbst hinauszutreten.

lasse die gedanken treiben. gemeinsam schaukeln wir wie ein zu leicht gewordenes boot in der sanften morgenbrise.

ich wäre gern eine waldlichtung, vogelflug am abendhimmel oder ein tag an dem wir uns in den armen halten.

man schweigt oder schläft und die welt dreht sich wie gehabt weiter. am schönsten sind die einfachen dinge. und atmen ist keine nebensächlichkeit.

mit jedem morgen beginnt eine neue welt. wie können wir versprechungen machen, wenn wir doch die zukunft nicht kennen?

ich denke an dich, was bedeutet dass ich wach bin oder schlafe.

endlos fallen weitere gedanken aus meinem haar. ich stelle mich auf vulkanerde und wässere sie.

ich glaube an morgen, weil es noch nicht gewesen ist. ich glaube an gestern weil ich dabei war. ich glaube an dich, weil ich hoffnungsvoll bin. ich glaube an uns, weil ich gerne wahnsinnig sein möchte.

ich erinnere mich, dass alles welle ist. dass alles sich abwechselt. dass es wellen gibt, die einen hinunterziehen, dass es wellen gibt, die einen obenauf schwimmen lassen.
dass nichts für immer ist. dass man nicht für immer untergeht, dass man nicht für immer oben schwimmt.
dass alles endlich und zugleich unendlich ist. dass sich die welle nur am strand bricht, um wieder in das meer zurückkehren zu können.
dass jede welle nur in das meer zurückkehrt, um wieder an den strand brechen zu können.

in

in deinen augen
wiederholt sich der urknall
zwei universen lächeln mich an

gesprächig schaust du in die nacht
erzählst, fragst, wirfst satznetze aus

mein schweigen, ein fisch
ganz ziehst du mich
an land

nur

nur mit dem schlafen beschäftigt
treibe ich im nirgendwo

durch meine finger rinnt
des himmels nachtblau

im baum nebenan
mondrauschen all die stunden

sprechen
von dir, von mir

bilden einen satz
der nie endet

meine worte

meine worte kreisen umher
tasten nach deiner hand
finden sie
finden sie nicht
werden zum gedicht

es regnet

es regnet
dein name trommelt aufs dach
wieder und wieder

doch

doch die lippen
sind zu schwer.
ebenso beide arme.
nur die lider
schlage ich auf.
meine blicke
umarmen dich.
wieder und wieder.

haiku ( )

jeder gedanke (an dich)
bleibt mir ein stern, nachts funkelt's
nie ist es (nur) dunkel

ich setze dir

ich setze dir einen vogel ins herz
der wegfliegen kann
wann immer er es
für richtig empfindet

vielleicht
wird er aber auch
zu singen beginnen

ich bleibe
und lausche

nichtgesprochene worte

ich denke an all das
was ich dir gesagt habe
aber anders meinte
und an all das
was ich dir nicht gesagt habe
aber noch immer so meine

bequemlichkeit hat
weite folgen
unsicherheit auch

nichtgesprochene worte
tanzende fische
in einem glitzernden see
sich hinunterbeugen
beides zugleich sehen:

die sonne, die tiefe
dazwischen
spiegelt sich

ein ich
ein ich

wellt sich, wandelt sich

treibt mit all dem nichtgesagtem davon

der vorhang

der vorhang weht langsam
wie eine alte erinnerung
ins zimmer hinein

erste sonnenstrahlen
flüstern mir vorsichtig
deine hände ins haar

vor dem fenster
singt ein vogel
den morgen herbei

ich träume noch
die wirklichkeit
ist anderswo

wegfliegen

wegfliegen
in diese melancholische stunde hinein
in der das blau grau wird
und das herz so schwer
dass es einen hinabzieht
in jeglichen ozean
in alles was wasser und wellen
in sich trägt

mit federresten am arm
versinke ich
in dir

gestern

gestern taten sich
all die ungesagten
worte zusammen
sie wurden kein satz
und auch kein gefühl

gestern schlüpften sie
aus dem fenster hinaus
stiegen als wolke
in den nachthimmel auf
sie zogen nach norden

heute kamen sie wieder
ich weiß nicht was sie
alles erzählt haben

doch ich weiß
dass sie
bei dir waren

und ich werde

und ich werde
wieder aufstehen

dann, wenn ich ein ende
für meinen angefangenen satz
gefunden habe

doch

noch liegen wir
verstreut

ich und all meine worte

der himmel

der himmel hat sein blau vergessen
ist heute weder frage noch antwort
er ist nur das draußen
man selbst bleibt das drinnen
in dem es rumort oder heimelig ist
das einem frage oder antwort ist
das sich fragt
ob es sich herausfinden lässt
in wessen augen, gedicht oder traum
der himmel heute sein blau vergaß

weitere gedichte und texte sind unter
freitag-ist-rosa.tumblr.com
zu finden.

bereits erschiene bücher
von olivia wartha:

hundertneunzehn

wellengang

Lightning Source UK Ltd.
Milton Keynes UK
UKHW040609271119
354298UK00001B/102/P